Le Petit P...

D1531580

L'Oiseau de Feu

Adaptation de Katherine Quenot

GALLIMARD JEUNESSE

Un jour, le Petit Prince arrive avec Renard sur une planète où un Oiseau de Feu brûle tout sur son passage. Cet oiseau doit choisir qui régnera sur la planète : le prince Huang ou la princesse Feng. Mais Huang, qui est aussi impatient que sa jumelle Feng est raisonnable, a volé la couronne.

Pour fuir la colère de
l'Oiseau de Feu, les
habitants de la planète
se sont réfugiés dans
un coquillage qui flotte
dans le ciel.
Hélas ! voilà justement l'oiseau
qui arrive ! Il se pose devant le
Petit Prince qui devient ami avec
lui. Huang l'attaque avec son arc,
mais le Petit Prince le sauve grâce
à son épée magique.

Le Petit Prince et Renard délivrent
la princesse Feng que Huang a
enfermée dans la tour Lotus.
Tous les trois se rendent au palais

pour voir Huang. Devant tout le peuple, Feng accuse son frère de ne pas être le vrai roi. Rouge de honte, Huang enlève sa couronne.

Maintenant, il faut rapporter
la couronne à l'Oiseau de Feu.
Feng la prend, car elle ne fait plus
confiance à son frère.
Le Serpent lui conseille de la mettre
sur sa tête puisqu'elle est la plus sage !

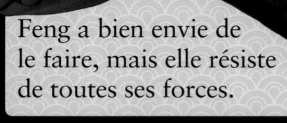

Feng a bien envie de
le faire, mais elle résiste
de toutes ses forces.

Pour aller au mont Izu
où habite l'oiseau, le Petit
Prince fait apparaître une
barque qui vole dans les airs.
Pendant le voyage, Huang leur
explique que l'Oiseau de Feu
se transforme en statue de pierre
au moment où le soleil se couche.
Il avoue que c'est le Serpent qui
l'a poussé à voler la couronne…

Soudain, les Idées Noires
les attaquent ! C'est le
Serpent qui les envoie.
Elles s'alignent les unes
à côté des autres pour
leur barrer la route.
Le Petit Prince est un
habile pilote, mais elles
sont trop nombreuses.
Vite, Huang prend son
arc et casse toutes les
barrières. Sauvés !

Enfin, la barque arrive au mont Izu. L'Oiseau de Feu est là, endormi. La couronne dans les mains, Feng s'avance vers lui pour la lui donner.
Mais le Petit Prince entend le sifflement du Serpent et la princesse se pose la couronne sur la tête ! À cet instant, le soleil se lève et l'oiseau se réveille...

Quand il voit Feng avec la
couronne, l'Oiseau de Feu se met
à lancer des flammes. Renard
pousse un cri : sa queue grille.
Vite, le Petit Prince se transforme !

Avec son épée, il dessine un ours
magique qui se met en boule
pour les transporter. Il dévale
le mont Izu et les dépose, sains
et saufs, sur la rive.

Hélas, l'Oiseau de Feu
est déjà là quand ils sont
de retour au coquillage.
Très en colère, il brûle
les cordes qui le
retiennent aux nuages.
C'est la panique !
Le Petit Prince fait
apparaître des moutons
qui chatouillent les nuages
pour faire tomber la pluie.
L'incendie s'éteint...

À présent, Feng ne se trouve plus si sage et Huang regrette ce qu'il a fait. Quand l'Oiseau de Feu se pose devant eux, ils lui redonnent la couronne sans hésiter.
Mais l'oiseau leur offre alors une couronne à chacun : la planète a autant besoin de la sagesse de Feng que du courage de Huang !

Satisfait, l'Oiseau
de Feu s'envole dans
le ciel : il ne lance
plus des flammes,
mais des fleurs.
Le Petit Prince sourit : sa Rose
sera heureuse de savoir que
la planète est sauvée !

Le Petit Prince

Découvre toutes les nouvelles aventures du Petit Prince en librairie !

1. L'Oiseau de Feu

2. L'Orgue de Zéphyr

3. Le Secret d'Euphonie

4. La Cité de Jade

5. Le Vendeur de réverbères

6. Le Voleur d'éto

Loi n°49-956 du 16 juillet 1949 sur les publications destinées à la jeunesse.

Une série adaptée de l'œuvre *Le Petit Prince* d'Antoine de Saint-Exupéry, pour la télévision, par Matthieu Delaporte, Alexandre de la Patellière et Bertrand Gatignol. Réalisée par Pierre-Alain Chartier. D'après l'épisode *La Planète de l'Oiseau de Feu* écrit par Julien Magnat.

Le Petit Prince™ © 2012

D'après le chef-d'œuvre d'Antoine de Saint-Exupéry

Conception graphique de l'ouvrage : cedricramadier.com

ISBN : 978-2-07-064154-3
Numéro d'édition : 183630
Dépôt légal : janvier 2012
Imprimé en Chine par Book Partners China Ltd